D1364732

MERTON SCHOOL
5554 Robinson
Côte St-Luc, QUÉ. H4V 2P8

il était une fois...
...peux-tu me dire?

Kopi
et les rubans rouges

Texte
Ann Warren

Révision linguistique
Mireille Côté

Illustrations
Zoran Vanjaka

Conseillers à la publication
Roger Aubin
Gilles Bertrand
Joseph R.DeVarennes
Jean-Pierre Durocher

Grolier Limitée
MONTRÉAL

© 1988 Québec Agenda Inc.

Dépôt légal : 3ᵉ trimestre 1988
Bibliothèque nationale du Québec
Bibliothèque nationale du Canada

Tous droits de reproduction, de traduction ou d'adaptation réservés pour tous pays. Toute reproduction totale ou partielle, par quelque procédé que ce soit, est interdite sans l'autorisation écrite de l'éditeur.

ISBN 2-8929-4123-7

Imprimé au Canada

Kopi et les rubans rouges

Kopi est un petit garçon qui habite la campagne avec ses parents. Ils ont construit leur maison au bord d'un lac, entre la route et la forêt.

Kopi connaît bien tous les sentiers des alentours. Son père est garde-chasse et souvent il l'emmène avec lui dans les bois. La semaine dernière, ils ont attaché des rubans rouges aux arbres qui longent les sentiers. Kopi peut maintenant se promener seul sans crainte de se perdre dans la forêt.

Ce matin, Kopi se lève très tôt. Il a hâte d'être dehors. C'est la première fois qu'il part seul à l'aventure. Pour souligner l'événement, Dame Nature lui a réservé une surprise : les sentiers sont recouverts d'une belle neige fraîche.

Kopi enfile son déjeuner un peu plus vite que d'habitude. Ensuite, il s'habille chaudement et saute dans ses mocassins tout neufs.

— N'oublie pas ton bonnet, lui dit sa mère en riant. Et surtout, suis bien les rubans accrochés aux branches.

Mais déjà Kopi est dehors... Il a quand même pris le temps de donner un rapide baiser à sa mère pour la rassurer.

Dès ses premiers pas autour de la maison, Kopi se sent très sûr de lui. Il se dirige tout naturellement vers le sentier. En levant la tête, il aperçoit le ruban rouge, preuve qu'il ne s'est pas trompé.

Mais, que voit-il, là, dans le sentier? Qui donc a laissé ces traces de pas? Kopi se penche pour examiner les pistes.

— C'est un petit lièvre qui m'a devancé, conclut-il. On dirait qu'il a suivi le sentier. Je vais essayer de le rattraper.

Tout à coup, Kopi s'arrête, désemparé. Les traces du petit lièvre disparaissent dans la forêt. Osera-t-il s'aventurer hors du sentier, là où il n'y aura plus de rubans rouges?

— Ça ne fait rien, pense-t-il. Grâce à la neige toute fraîche, je n'aurai qu'à suivre mes propres traces pour retrouver mon chemin.

Kopi marche pendant un bon moment dans la forêt sur la piste de son petit compagnon. Heureusement, Kopi a appris que les lièvres changent de poil avec les saisons; on dit qu'ils muent. Bruns tachetés de noir et de gris l'automne, pour se confondre avec le feuillage, ils deviennent blancs comme neige l'hiver. En regardant bien, Kopi voit bouger quelque chose pas très loin d'où il se trouve. Ah oui, c'est le lièvre, assis sur son petit derrière, les oreilles bien droites!

Doucement, Kopi s'approche... à pas de loup. Crac! Il a marché sur une branche cachée sous la neige.

Frrrt! Le lièvre s'enfuit immédiatement. Kopi court derrière lui, en suivant les pistes qui s'enroulent autour des arbres.

... peux-tu me dire ?

Quel est le métier du père de Kopi ?

Pourquoi Kopi se lève-t-il tôt ce matin ?

Qui a laissé des traces avant Kopi, dans le sentier ?

Kopi suit-il toujours les sentiers ?

Kopi habite à la campagne. Sa maison se trouve tout près d'une forêt. Ce matin, Kopi part seul dans la forêt pour la première fois. Il devra suivre les sentiers que son père a marqués de rubans rouges. Sur le premier sentier qu'il prend, il aperçoit des traces de lièvre dans la neige. Mais le lièvre ne suit pas toujours les sentiers. Il se sauve dans la forêt. Kopi essaye de le rattraper. Il suit les pistes qui s'enroulent autour des arbres.

Le lièvre court vite. Bientôt, Kopi s'arrête, tout essoufflé.

— Je ne réussirai jamais à l'attraper. Il est trop rapide pour moi, se dit-il en reprenant son souffle. Il regarde autour de lui. Le petit lièvre a disparu. Un peu triste, Kopi revient sur ses pas. Il veut retrouver le sentier marqué par son père et rentrer à la maison.

Comme il l'avait prévu, Kopi suit les traces qu'il a laissées dans la neige. Mais, tout à coup, il découvre d'autres traces qui croisent son chemin. Il met un pied dans l'une d'elles. La trace n'est ni plus grande ni plus petite que son pied. Il s'agit donc de ses traces à lui.

— Oh, là, là! se dit-il, j'ai tout embrouillé. Parmi toutes ces pistes, laquelle conduit au sentier?

Kopi regarde autour de lui et se demande quoi faire. Va-t-il prendre à gauche ou à droite? Devant ou derrière? Il élimine tout de suite les traces qui sont derrière lui. C'est par là qu'il est arrivé et il sait très bien qu'elles mènent à la forêt. Bon, il se décide pour la gauche et repart. Il marche un bon moment puis il croise encore d'autres traces.

— Ah, non ! se dit Kopi qui commence à s'inquiéter.

Avec toutes ces traces, le voilà bien mêlé. Où devrait-il aller ? Il hésite, retourne sur ses pas, revient et décide de continuer tout droit. Il commence à être fatigué et il a un peu faim.

Bientôt, Kopi voit de nouvelles traces. Il se penche, les examine et se rend compte qu'il est revenu à son point de départ. Il a tourné en rond. Il réfléchit un instant.

— Voilà ! se dit-il tout joyeux, si ce n'est ni à gauche ni à droite, alors le sentier se trouve devant.

Kopi repart, courant presque tellement il est sûr d'avoir retrouvé son chemin. D'ailleurs, il aperçoit bientôt des rubans entre les branches devant lui.

— Hourra, c'est le sentier ! crie-t-il soulagé.

Le petit lièvre peut toujours courir. À l'avenir, Kopi ne s'éloignera plus des sentiers, c'est promis !

... peux-tu me dire ?

Peux-tu retrouver le chemin qui mène au sentier ?

Kopi vit à la campagne. Tout près de la maison, il y a un lac et une forêt. Aujourd'hui, Kopi et sa maman, Chléaume, doivent aller à la gare en voiture.

Tante Ariette et son fils Azimut arrivent cet après-midi. Ils profitent des vacances de tante Ariette pour venir passer quelques jours chez Kopi et ses parents. Tante Ariette est la sœur de maman Chléaume. Azimut et Kopi sont donc cousins.

Azimut et sa famille habitent loin de chez Kopi. Alors les deux cousins ne se voient pas souvent et, chaque fois, c'est la fête. Pour l'instant, Azimut a très faim car le voyage a été long.

Heureusement, maman Chléaume a toujours de bien bonnes choses à grignoter : des pommes, des carottes, des noix ou du lait. Pour l'occasion, Azimut et Kopi ont droit à une tarte à la citrouille. Quel régal !

— As-tu apporté tes patins ? demande Kopi en rangeant les assiettes de la collation.

— Bien sûr, répond Azimut, j'ai tellement hâte de patiner sur le lac.

— Viens, allons nous habiller ! dit Kopi.

— Attends, il faut que je me brosse les dents. J'en ai pour deux minutes, dit Azimut en fouillant dans son sac.

— Oh, j'allais oublier ! J'y vais aussi, dit Kopi. Et les enfants filent à la salle de bain en chantonnant :

Ouvrons le robinet	Brossons bien comme il faut
Sans tout éclabousser	Du bas vers le haut
Un peu de dentifrice	Et du haut vers le bas
Sur la brosse et qu'ça glisse	Des caries nous n'aurons pas

9

L'opération terminée, Azimut et Kopi courent s'habiller bien chaudement. Ils entendent tante Ariette et maman Chléaume qui discutent dans la cuisine.

— Tu es sûre que la glace est assez solide ? demande tante Ariette, un peu inquiète.

— Rassure-toi, il n'y a aucun danger, lui répond maman Chléaume. Nous avons vérifié l'épaisseur de la glace hier matin.

— Ah, oui! Comment fait-on ? demande tante Ariette.

— Eh bien ! on perce des trous à différents endroits sur le lac et on mesure l'épaisseur de la glace. De ce côté-ci, il n'y a pas de sources alors la glace a la même épaisseur presque partout. Nous avons mesuré environ un demi-mètre.

— Où sont mes patins ? demande Azimut en regardant sa mère d'un petit air taquin.

— Regarde dans la grosse valise bleue, lui répond-elle.

Azimut va fouiller dans les bagages mais se trompe de valise.

— Je t'ai dit la grosse valise, Azimut, dit tante Ariette. Il n'y a que des vêtements dans la petite.

— Et qu'y a-t-il dans la *moyenne valise*? demande Azimut en faisant un clin d'œil à sa mère.

— C'est un secret, répond-elle. Nous verrons cela à l'heure du dîner, quand le papa de Kopi sera rentré.

— Allez, ouste, dehors petits garnements! lance maman Chléaume en leur chatouillant le cou. Laissez-nous discuter en paix.

Ariette et Chléaume ne se voient pas souvent. Elles ont bien hâte de se retrouver entre sœurs pour se raconter les dernières nouvelles.

— Ouste! répète maman Chléaume.

Les enfants se sauvent dehors en riant et ferment la porte avec fracas derrière eux.

— Ouille, mes oreilles! s'écrie tante Ariette.

Mais les enfants sont déjà loin et elle ne les disputera pas aujourd'hui. Tout le monde est bien trop heureux de se retrouver.

 ... peux-tu me dire?

Dans quelle valise se trouvent les patins d'Azimut? Dessine les patins.

Ariette, la tante de Kopi, est arrivée à la campagne avec son fils, Azimut. Ils viennent passer quelques jours chez les parents de Kopi. Pendant que les mamans se racontent mille et une choses dans la maison, les enfants vont patiner sur le lac gelé.

— Il a neigé un peu hier, dit Kopi, il va falloir pelleter.

— Je vais chercher les pelles, dit Azimut en regardant autour de lui, où sont-elles ?

— Dans la remise, accrochées sur le mur à ta droite.

Azimut s'en va vers la remise quand tout à coup il sent quelque chose qui lui frôle la main. Il sursaute et se retourne, le cœur battant.

— Oh, ce n'est qu'un chien ! s'écrie Azimut soulagé. Un instant, j'ai cru que c'était un cheval.

— Flam ! s'écrie Kopi. Ici, mon beau Flam !

Le chien court le rejoindre en sautillant dans la neige.

— C'est le chien de nos voisins, dit Kopi. Viens, viens, mon beau Flam, ajoute-t-il. Il se tape sur la cuisse pour que le chien coure derrière lui.

Flam lèche joyeusement la joue de Kopi. Azimut revient avec deux pelles ; il les dépose dans la neige et flatte le chien à son tour.

— De quelle race est-il ? demande Azimut.

— C'est un gentil, répond Kopi.

— Un gentil ? C'est une sorte de chien, ça ? dit son cousin étonné.

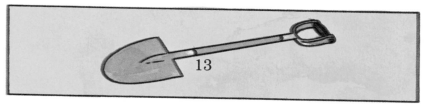

13

— Mais non, dit Kopi, Flam est gentil mais c'est une sorte de mélange.

Flam n'a vraiment l'air d'appartenir à aucune race de chien en particulier. Il est assez grand, très poilu et ses oreilles sont comme deux petits triangles dressés sur le dessus de sa tête. Son pelage noir est tacheté de brun et de jaune, et il n'a pas de queue du tout.

Le voisin de Kopi, monsieur Buis, dit que le chien a perdu sa queue dans un piège à ours quand il était encore tout petit. Ce jour-là, il est revenu à la maison de monsieur Buis en gémissant. On l'a soigné puis le voisin est parti à la recherche du piège. Quand il l'a retrouvé, il l'a ramassé et est allé le porter à la maison de Kopi.

— Pourquoi monsieur Buis a-t-il rapporté le piège chez toi? demande Azimut.

— Parce que mon papa est garde-chasse et que c'est lui qui doit s'assurer qu'il n'y a pas de pièges tout près des maisons. Un enfant pourrait se faire très mal si son pied se prenait dans un piège. Papa trouve les poseurs de pièges et leur donne un avertissement.

— Pauvre Flam, dit Azimut en caressant le museau du chien sans queue.

Les enfants commencent à dégager la neige avec leurs pelles. Ils vont vite! La neige est légère et il n'y en a pas beaucoup. Déjà ils patinent en la poussant devant eux. Flam sautille sur le bord du lac. Il n'ose pas s'aventurer sur la glace.

— Viens, Flam! Viens! lui lancent les enfants en patinant joyeusement.

 **... peux-tu me dire?**

Quel animal Azimut rencontre-t-il sur son chemin?
En quoi consiste le métier du père de Kopi?

16

Kopi et son cousin Azimut dégagent la neige qui recouvre le lac gelé. Ils poussent leur pelle en patinant. Flam, le chien du voisin, les attend sur la rive en sautillant.

— Viens ! lui crient Kopi et Azimut qui veulent s'amuser avec lui.

Flam n'ose pas avancer sur la glace. Les enfants décident qu'ils ont déjà une assez grande surface pour pouvoir patiner à leur aise. Ils reviennent sur la rive, rangent leurs pelles dans la remise et poussent le chien sur le lac.

— Oh, là, là! semble se dire Flam, qu'est-ce que je fais ici?

Le chien a du mal à se tenir debout. Aussitôt qu'il essaie de faire un pas, ses pattes de derrière dérapent et il se retrouve tout aplati sur le ventre. Il se relève avec précaution mais, ops! il tombe sur le derrière. Kopi et Azimut s'amusent beaucoup des pirouettes du chien.

— Vas-y, mon beau Flam, tu vas y arriver, s'écrie Azimut. Et, boum! c'est à son tour de tomber. Si Flam

pouvait rire, il aurait sûrement pouffé en voyant la tête d'Azimut.

Kopi se moque un peu d'eux en patinant à reculons. Azimut se relève très vite et le poursuit à grands coups de patins. Il rattrape Kopi, le fait tourner et repart avec lui main dans la main.

Le pauvre Flam a enfin réussi à se relever et il trottine prudemment derrière les enfants.

— Ouf! dit Kopi en s'arrêtant, on se repose un peu.

— As-tu vu Flam? demande Azimut, il fait des progrès: il ne tombe même plus.

Mais, tout doucement, le chien est retourné sur la rive. Il se roule dans la neige tellement il est heureux d'avoir prise sur le sol. Puis, il court d'un côté et de l'autre en jappant joyeusement. Tout à coup, il s'arrête au pied d'un arbre. Il se met à gratter la neige en grondant. Intrigués, les enfants viennent le rejoindre.

— Qu'y a-t-il, mon beau chien, dit Kopi en s'approchant. Pousse-toi un peu, laisse-moi voir.

Kopi écarte doucement Flam. Le chien proteste mais il finit par laisser faire l'enfant. Kopi enlève ce qui reste de neige et découvre... une mouffette endormie sous un tas de feuilles et de branches.

— Sauve qui peut! s'écrie-t-il en tirant le chien par son collier.

Surpris, Azimut recule un peu et demande ce qui se passe.

— C'est une mouffette qui est cachée là, répond Kopi, il faut s'éloigner sans la réveiller.

Les enfants se sauvent et entraînent Flam. Sur le chemin du retour, Kopi explique à son cousin qu'il ne faut pas s'approcher des mouffettes. Cet animal est tout petit mais son moyen de défense est très efficace. Quand il se croit menacé, il lève la queue et arrose son ennemi d'un liquide qui sent très mauvais.

— C'est épouvantable! s'exclame Kopi. Et pour se débarrasser de l'odeur de ce liquide, il faut prendre son bain au moins trois fois dans du jus de tomate.

— Oh, là, là! dit Azimut qui ne semble pas apprécier cette perspective... Et il marche encore plus vite.

Azimut trouve que son cousin a l'air de bien connaître les habitudes des animaux. Il lui demande pourquoi la mouffette dort comme ça en plein jour.

— Elle hiberne, répond Kopi, tout heureux de montrer son savoir.

— Hiberne, qu'est-ce que ça veut dire? demande Azimut.

Kopi lui explique que, pendant l'hiver, certains animaux s'endorment. Ils se font une sorte de nid et s'y couchent dès qu'ils sentent venir la neige. Ils restent là tout l'hiver et n'en sortent qu'au printemps.

Satisfait, Azimut ne pose plus de questions. Ils vont reconduire Flam chez lui puis rentrent à la maison. Cette histoire leur a fait un petit creux à l'estomac. Ils ont hâte de manger.

... **peux-tu me dire ?**

Ces animaux, comme la mouffette, passent l'hiver endormis. On dit qu'ils hibernent. Peux-tu les nommer :

Kopi et son cousin Azimut sont allés patiner sur le lac gelé. Ils ont bien ri des pirouettes du chien Flam sur la glace. De retour sur la rive, Flam découvre une mouffette qui a hiberné sous un tas de feuilles et de branches. Les enfants se sauvent en tirant Flam par le collier. Ils ne veulent surtout pas réveiller la mouffette et se faire arroser.

Azimut et Kopi arrivent à la maison avec une envie de tarte à la citrouille. Mais tante Ariette et maman Chléaume ont préparé une bonne soupe aux légumes.

— La tarte, c'est bon pour la collation ou comme dessert, dit tante Ariette.

— C'est un vrai repas qu'il vous faut maintenant, ajoute maman Chléaume. Quand on a fait des exercices comme vous, ça prend des vitamines et des protéines, pas seulement du sucre et du gras. Écoutez bien ceci:

Une carotte te fait une belle peau
Du lait, ça fait pousser les os
Une pomme te fait une belle dent
Des viandes, ça fait pousser les jambes
Manger de bons aliments
Ça te fait tout beau en dedans
Les manger tous en même temps
Ça te fait plus fort qu'avant

Kopi et Azimut font une ronde en disant la comptine.

— Tiens, il reste de la place dans mon bedon, donne-moi une carotte. Croutch! C'est vrai que c'est bon!

— Une tarte à la citrouille c'est délicieux, mais une soupe avant c'est mieux!

Les enfants s'amusent à faire des rimes. Tout en tournant, ils trouvent d'autres noms d'aliments. Mais ce jeu-là devient vite étourdissant.

— Poireau, domino! Et si on jouait aux dominos? demande Kopi qui aime bien ce jeu.

Azimut est d'accord, maman Chléaume et tante Ariette aussi.

— Allons vite chercher les dominos, dit Kopi.

Les enfants reviennent avec les petites plaques noires picotées de blanc. Ils les étalent sur la table en les retournant pour que personne ne voie les points blancs. Kopi distribue cinq dominos à chaque joueur et regroupe ceux qui restent.

C'est Azimut qui commence avec un point blanc d'un côté et trois de l'autre. Maman Chléaume n'a pas de domino avec un ou trois points blancs. Elle doit donc piger dans le tas. Elle prend un domino avec un et quatre points. Sans le montrer aux autres, elle compare avec ce qu'il y a sur la table.

— Voilà, dit-elle en plaçant le côté avec un point blanc contre l'autre point blanc.

Kopi n'a aucune difficulté à caser son domino à trois et quatre points.

— Oh, là, là! dit Azimut bien embêté.

C'est à son tour de jouer et il n'est pas sûr de pouvoir placer ses dominos quelque part.

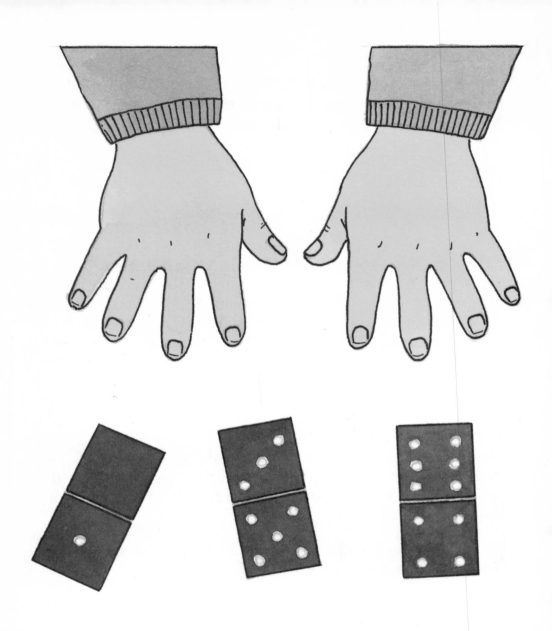

 ... peux-tu me dire ?

Voyons ça ensemble. Lequel de ces dominos peut-il mettre sur la table ?

26

Kopi et son cousin Azimut se sont amusés à faire des rimes avec le nom des aliments. Puis ils ont joué aux dominos avec maman Chléaume et tante Ariette. C'est Azimut qui a gagné à ce jeu d'association. Maintenant, tout le monde attend le père de Kopi avec impatience.

Hubert, le père de Kopi, est garde-chasse. Il sillonne la forêt et s'occupe de protéger les animaux quand la période de la chasse est terminée. Son travail fait qu'il lui arrive toutes sortes d'aventures. Hubert connaît bien les animaux et il raconte souvent à Kopi des histoires sur leur façon de vivre.

Aujourd'hui, papa Hubert est rentré à la maison tout mouillé et les bottes pleines de boue. Il a aidé un castor qui s'était pris dans la glace.

— Heureusement que c'est arrivé sur le chemin du retour, dit papa Hubert.

Il était si mouillé que ses vêtements avaient commencé à geler. Maman Chléaume lui donne une tasse de thé bouillant pour le réchauffer. Elle craint qu'il n'ait pris froid. Papa Hubert va passer des vêtements secs et revient boire son thé fumant.

— Alors, raconte ce qui est arrivé au castor, demande Kopi.

— Je revenais tranquillement du lac Brûlé en pensant à la belle visite qui m'attendait à la maison, dit-il en souriant à tante Ariette et à Azimut. Je n'avais pas encore atteint la dernière pointe du lac quand tout à coup j'entends des flics et des flocs. Un bruit qui ressemble beaucoup à celui que fait Kopi quand il joue dans l'eau. Flic! Floc! Flic! Intrigué, je m'approche du bord pour mieux voir... Un gros castor pataugeait et essayait de casser la glace qui s'était refermée sur lui. La pauvre bête avait des glaçons plein sa fourrure et même autour des yeux. Il se débattait, se débattait mais ne réussissait qu'à s'enfoncer encore plus.

— Qu'est-ce que tu as fait? demande Azimut, très impressionné.

— J'ai toujours une hache et une corde dans mon sac à dos. J'étais bien content de les avoir cet après-midi. Ils m'ont permis de tirer le castor de sa mauvaise posture. Avec ma corde, j'ai fait un nœud coulant.

— Comme font les cow-boys pour fabriquer un lasso? demande Kopi.

— Tout à fait, répond Hubert. J'ai donc lancé ce lasso autour du cou du castor, puis je me suis approché douce-ment pour ne pas l'effrayer. Il se débattait encore plus. Bien sûr, il n'aimait pas du tout sentir la corde sur son cou. Avec ma hache, j'ai cassé la glace qui le retenait prisonnier, en prenant soin de garder mes mains loin de ses dents.

— Elles sont si dangereuses? demande Azimut.

— Tellement qu'il aurait pu me couper les doigts net en me mordant. Tout à coup, j'ai senti qu'il commençait à s'enfoncer, sans le support de la glace. Il était trop épuisé

pour remonter. J'ai vite rejoint la rive et j'ai tiré très fort sur la corde. Ho, hisse ! Ho hisse ! Le castor était sauvé. Il a tout de suite disparu dans les bois emportant ma corde derrière lui.

— Ta corde ! s'exclame Kopi, mais il va s'étrangler si la corde s'accroche quelque part.

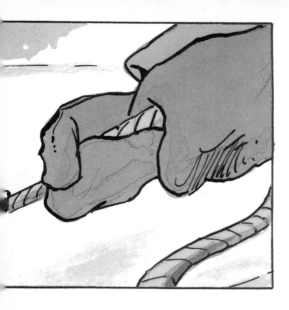

— Rassure-toi, dit papa Hubert. N'oublie pas que le castor est un rongeur. Il aura tôt fait de se débarrasser d'une toute petite corde.

— Bravo ! Raconte-nous une autre histoire, demande Azimut.

— Plus tard, c'est promis, répond papa Hubert. Je crois que Ariette a apporté des choses amusantes dans sa « moyenne » valise bleue. Si vous alliez la chercher.

La valise bleue est remplie de présents pour Kopi et sa famille. Il y a aussi un gros livre sur les animaux de la forêt pour Azimut. Ainsi, il en saura un peu plus lorsqu'il viendra voir Kopi, l'été prochain.

 ... peux-tu me dire ?

Quelle température faisait-il pour que les vêtements d'Hubert commencent à geler ?
Qu'est-ce qui faisait flic floc dans l'eau ?